DANIÈLE THIBAUT

# Histoire des rois de France

## de François Ier à Louis XVI

*Illustrations de*
*Monique Gorde*

MONDE EN POCHE / NATHAN

Collection dirigée par Daniel Sassier

# De la Renaissance à la Révolution

*De 1515 à 1792, neuf rois ont vraiment régné, et pas n'importe lesquels ! Curieusement, deux victoires militaires encadrent cette longue période. La première, Marignan, évoque la splendeur du jeune François Ier ; la seconde, Valmy, marque le triomphe de la Nation et de sa révolution sur la monarchie d'Ancien Régime. Entre-temps, que d'événements, de bouleversements, de moments glorieux ou tragiques.*

*Bien sûr, dans ce livre, il était impossible d'évoquer toutes les richesses de ces presque trois cents ans d'histoire. Il fallait faire des choix. Vous verrez que Danièle Thibaut a su les faire, et que tout en racontant beaucoup de choses, elle a aussi écrit un livre plein de vie et d'anecdotes. Un livre qui vous donnera certainement envie d'en lire d'autres.*

*L'histoire de ces rois se confond naturellement avec celle de la France, la nôtre. Certains vous seront sympathiques, parce qu'ils vous paraîtront compétents, soucieux de leurs « sujets », du bon état de la France... D'autres ne vous plairont sans doute pas. A vous de vous faire une opinion ! Henri IV, lui, a dit un jour : « Le naturel des Français est de n'aimer point ce qu'ils voient. Ne me voyant plus, vous m'aimerez et, quand vous m'aurez perdu, vous me regretterez ! »*

# François Ier
## (1515-1547)
## le roi chevalier

Lorsqu'il devient roi de France, en janvier 1515, François Ier a 20 ans. Grand, rompu aux exercices physiques, toujours de belle humeur, il impressionne tous ceux qui le rencontrent. Autant par sa fière allure que par les vêtements somptueux qu'il aime porter.

Ne doutant de rien, le jeune roi brûle notamment de reconquérir le Milanais, héritage d'une arrière-grand-mère. Il décide donc de partir pour l'Italie à la tête de ses troupes. Et la chance lui sourit. Le 14 septembre 1515, il remporte la fameuse victoire de Marignan... Au soir de cette journée, sur le champ de bataille, François se fait armer chevalier par le plus fameux capitaine de son temps, Bayard.

## Un prince de la Renaissance

En fait, et c'est plus important que notre « Marignan 1515 », François Ier est ébloui par l'Italie et les œuvres d'art qu'il y découvre. Ce pays est en pleine « Renaissance ». Libérés des rigueurs du Moyen Age, écrivains, peintres, architectes, etc., inventent un art nouveau et de nouvelles manières de vivre. Le jeune roi, émerveillé, souhaite développer en France ce grand mouvement culturel. Il appelle auprès de lui le génial Léonard de Vinci, puis fait venir beaucoup d'autres artistes italiens pour construire et décorer les résidences royales.

Car le roi ne manque pas de châteaux, tant sur les bords de la Loire que dans la région de Paris : Blois, Chambord, Fontainebleau, Saint-Germain-en-Laye... Il les fait restaurer ou construire dans le style italien, et se déplace de l'un à l'autre, avec sa cour qui compte jusqu'à 15 000 personnes.

Tout ce monde vit dans un luxe raffiné, et goûte à mille plaisirs : banquets, tournois, concerts, bals..., sans oublier la chasse, qui est le passe-temps favori du roi.

**Le « Père des Lettres »**

Ce surnom, donné par ses courtisans, François Ier le mérite bien. Lecteur passionné, poète à ses heures, il s'entoure de savants et protège

des écrivains comme Rabelais et Marot. En 1530, il fonde le « Collège de France », où l'on peut étudier le grec ancien, l'hébreu et les mathématiques. En 1537, il oblige les imprimeurs à donner à l'État un exemplaire de chaque livre lors de sa parution, créant ainsi le « dépôt légal ». Aujourd'hui, la Bibliothèque nationale reçoit toujours les livres publiés par tous les éditeurs de France.

En 1539, François Ier prend une mesure extrêmement importante. Par l'ordonnance de Villers-Cotterêts, il décide que tous les actes officiels seront rédigés en « langage maternel français », et non plus en latin. C'est une révolution ! Désormais, la langue officielle du royaume sera le français, que la plupart des gens peuvent comprendre, et non plus le latin, réservé aux savants. La même ordonnance impose aux prêtres des paroisses de « tenir registre du jour et de l'heure de naissance des Français ». Cet état-civil, ce sont les mairies qui l'assurent de nos jours. Il n'empêche que nous devons sa création à François Ier.

**Un monarque presque absolu**

S'il aime les plaisirs et les fêtes, François Ier est aussi jaloux de son autorité. Il gouverne personnellement, assisté d'un « Conseil » composé de princes et de familiers choisis par lui. C'est le roi qui décide, pratiquement sans contrôle.

Il faut savoir que la société française du XVIe siècle — et cela sera vrai jusqu'à la Révolution de 1789 — est divisée en trois ordres. Le *clergé* veille à l'éducation chrétienne des Français ; la *noblesse,* elle, assure le service armé et vit du revenu de ses domaines. Ces deux premiers ordres, nous les appelons « privilégiés ». Quant au *tiers état,* c'est l'ordre le plus important, puisqu'il comprend les paysans, les artisans et les bourgeois, autrement dit l'immense majorité de la population. C'est lui qui produit les richesses du pays, et c'est lui seul aussi qui paye les impôts !

En cas de problème grave, et notamment s'il manque d'argent, le roi de France peut consulter des représentants de ces trois ordres. Il convoque alors les « états généraux ». Mais il ne le fait que très rarement, car il redoute que ses pouvoirs soient remis en cause.

**Le rival de Charles Quint**

La victoire de Marignan avait ouvert au roi de France les portes de l'Italie. Mais le Milanais, si cher au cœur de François, est bientôt perdu. Dans l'Europe d'alors, règne en effet un autre monarque extrêmement puissant : Charles Quint. Il est empereur d'Allemagne, roi d'Espagne, souverain d'Autriche, des Pays-Bas, d'une partie de l'Italie et des territoires récemment découverts en Amérique. Entre François Ier et ce prince, dont les possessions enserrent le royaume de France comme un étau, la lutte devient vite impitoyable.

C'est en Italie que François choisit d'affronter Charles Quint. Le voilà à nouveau dans le Milanais, à la tête de ses troupes. Mais le miracle ne se reproduit pas : le 24 février 1525, à Pavie, il est vaincu et fait prisonnier. Il se retrouve bientôt enfermé dans un donjon en Espagne, à Madrid.

« Ils l'ont pris, l'ont amené
Dans la grande tour de Madrid.
La tour est haute et carrée,
Jamais le soleil n'y luit. »

... chantent, tristement, les Français.

Finalement, François est libéré. Mais il doit laisser en otage ses deux fils, François et Henri, qui resteront prisonniers pendant quatre ans...

**Du côté des musulmans... et des protestants**

Poursuivant la lutte contre Charles Quint, François Ier n'hésite pas à contracter des alliances qui, à cette époque, paraissent plus que surprenantes. Voici d'abord le « roi très chrétien » qui s'entend avec le sultan turc, Soliman le Magnifique, qui est musulman. Le voici encore du côté des princes allemands qui viennent de se convertir à la religion qu'on appellera bientôt « protestante ».

En France, la religion réformée rencontre un certain succès. François Ier, plutôt tolérant, se refuse d'abord à intervenir. Mais en octobre 1534, on affiche dans les villes du royaume et

---

*DE NOUVEAUX CHRÉTIENS*

*Au début du XVIe siècle, un moine allemand, Martin Luther, souhaite réformer l'Église catholique qui, selon lui, s'éloigne de la vraie foi et de l'enseignement du Christ, s'enrichit sur le dos des fidèles... En 1520, il est excommunié par le pape, c'est-à-dire mis à l'écart de la communauté des catholiques. Il fonde alors une nouvelle religion, que l'on appellera plus tard luthérienne. Inspiré par cet exemple, le Français Calvin proposera un autre type de réforme, qui deviendra le « calvinisme » ou religion « réformée ».*

jusque sur la porte de la chambre du roi des « placards » injurieux contre l'Église catholique. C'en est trop... Le roi prend des mesures contre les réformés. Beaucoup d'entre eux sont arrêtés, certains sont même pendus et brûlés sur la place publique.

## La fin d'un règne

La guerre entre François Ier et Charles Quint ne cesse de se rallumer... Elle n'empêche pas la France de participer au grand mouvement maritime et commercial qui a suivi la découverte de l'Amérique. C'est en 1534 que le navigateur Jacques Cartier prend possession du Canada, au nom du roi.

Les dernières années du règne ne sont pas gaies. Malade, le roi doit se faire porter en litière quand il veut aller à la chasse. Et puis, cinq de ses enfants sont morts, et parmi eux le dauphin François, qu'il aimait beaucoup. « Dieu punit mon péché en m'enlevant mes enfants ! », s'exclame le roi. A quoi pense François ? A son goût excessif des plaisirs ? A tant de guerres inutiles et coûteuses ?

# Henri II

(1547-1559)

**la mort au bout d'une lance**

En 1547, quand il succède à son père, Henri II a 28 ans. Grand et robuste, il aime les exercices violents et n'est guère attiré par les arts et les lettres comme l'était son père. Autant François Ier était jovial et impulsif, autant son fils paraît mélancolique et têtu.

L'enfance d'Henri n'a pas été simple. Orphelin de mère, il se retrouve, à 7 ans, prisonnier de Charles Quint. Quand il rentre en France, quatre ans plus tard, il ne parle que l'espagnol !

Mal aimé de son père, qui lui préfère ses autres fils, Henri va chercher des bras secourables. Ceux de la belle Diane de Poitiers, son aînée de vingt ans, qu'il aimera toute sa vie ; ceux, aussi, du vieux connétable de Montmorency, qui lui a enseigné le métier des armes et restera jusqu'au bout un conseiller très écouté.

**Un monarque autoritaire**

Le connétable de Montmorency, quoique chef des armées, est un partisan de la paix. Il détourne Henri des rêves de conquête en Italie et le pousse à rendre le pouvoir royal plus efficace. C'est ainsi qu'Henri nomme des « commissaires » chargés de veiller, dans chaque province, à l'application des décisions royales.

Le roi entend être obéi. Catholique fervent, il n'admet pas que la religion réformée se répande en France. Pourtant, malgré la prison, la torture, le bûcher, de nombreux Français se convertissent. Ceux qu'on appelle maintenant les « protestants » ou les « huguenots » organisent leur Église, tiennent des réunions, manifestent en plein Paris. Henri II est furieux. « Je jure, dit-il, que si je peux régler mes affaires extérieures, je ferai courir par les rues le sang et les têtes de cette infâme canaille luthérienne ! »

**La fin d'une querelle... et un tournoi fatal**

Voilà quarante ans que les armées du roi de France et celles de l'empereur s'affrontent sur les champs de bataille... sans grand résultat ! Charles Quint, vieilli, comprend qu'il ne dominera jamais l'Europe. Il abdique en 1556 et partage ses immenses territoires entre son fils et son frère.

Philippe II, le nouveau roi d'Espagne, engage des pourparlers avec Henri II. Tous deux ont maintenant un intérêt commun : la défense du catholicisme contre le protestantisme. En 1559, ils signent un traité de paix.

Pour renforcer cette nouvelle alliance, Philippe va épouser Élisabeth, fille d'Henri. Le mariage est célébré à Paris, en juin 1559. De grandes fêtes sont organisées. Le roi, passionné de joutes, participe à un tournoi où il affronte son capitaine des gardes, Montgomery... Tout à coup, la lance de son adversaire pénètre par accident dans la visière du casque royal ! Grièvement atteint, Henri II meurt de sa blessure dix jours plus tard...

# Charles IX
## (1560-1574)
## la folie des guerres de religion

Le successeur d'Henri II, François II (1559-1560), est un jeune homme de 15 ans. Il ne règnera qu'un an, laissant le pouvoir aux oncles de sa femme, qui appartiennent à la puissante famille de Guise. Guerrier très populaire, le duc François de Guise se veut aussi le chef du parti catholique. Il entame une répression sanglante contre les calvinistes. Ceux-ci répondent à la violence par la violence, et la reine mère, Catherine de Médicis, doit intervenir pour ramener le calme.

**Catherine de Médicis, régente du royaume**

A la mort de François II, Charles IX, son frère, n'a que 10 ans. Il est trop jeune pour régner, et la reine mère devient alors régente.

Agée de 41 ans, Catherine de Médicis prend le pouvoir dans des circonstances difficiles. La querelle entre catholiques et protestants n'est plus seulement religieuse... Elle est aussi devenue politique. Beaucoup de grands seigneurs, en effet, trouvent que les rois précédents les ont trop tenus à l'écart. Le moment n'est-il pas venu de ressaisir le pouvoir perdu ?

Princesse italienne devenue reine de France, Catherine a un respect infini pour la majesté royale : elle veut avant tout sauvegarder le trône de ses fils et maintenir intacte leur autorité. Ignorant le fanatisme religieux, elle va donc naviguer habilement entre les protestants et les catholiques, s'alliant aux uns ou aux autres selon les intérêts du moment.

**La guerre civile**

Ce jeu de bascule permet à la régente de survivre. Mais il ne règle aucun problème et, bientôt, la France se trouve plongée dans une terrible guerre civile. Acharnés à se détruire, les deux partis rivalisent d'atrocités : tueries, pillages... En l'espace de dix ans, les principaux chefs des deux camps périssent de mort violente.

En 1570, Gaspard de Coligny entre au « Conseil » du roi. Vaillant soldat, calviniste mais conciliant, l'amiral de Coligny inspire confiance à Charles IX, qui a maintenant

20 ans. Cela n'est pas du goût de Catherine ! En accord avec Henri de Guise, le nouveau chef du parti catholique, elle décide de faire assassiner Coligny. Mais le complot échoue...

**Le massacre de la Saint-Barthélemy**

Quand Charles IX apprend que son premier conseiller a été blessé dans un attentat, il ordonne qu'une enquête soit ouverte. Affolée, la reine mère se voit déjà découverte. Alors, au cours d'un entretien dramatique, elle persuade son fils de l'existence d'un complot huguenot. S'il veut sauver sa vie et son trône, le roi doit supprimer les principaux chefs protestants. Il faut profiter de leur présence à Paris, car ils sont venus assister au mariage d'Henri de Navarre avec la sœur du roi...

Charles IX finit par céder aux arguments de sa mère. « Eh bien, par la mort de Dieu, soit ! Mais tuez-les tous... qu'il n'en survive aucun pour me le reprocher ! »

A l'aube du 24 août 1572, jour de la Saint-Barthélemy, le massacre commence. Les huguenots, tirés de leur sommeil, sont égorgés et jetés dans la Seine. Coligny fait partie des premières victimes. Deux jours durant, les tueurs vont poursuivre leur carnage, n'épargnant ni les femmes ni les enfants. Dans les provinces aussi, la folie meurtrière fait rage.

Cet effroyable bain de sang rallume les guerres de religion. Charles IX, malade, est rongé par les remords et les cauchemars. Il meurt, deux ans plus tard, à l'âge de 24 ans.

# Henri III

(1574-1589)

**un royaume en décomposition**

Le frère de François II et de Charles IX, Henri III, est le fils préféré de Catherine de Médicis. Il a 23 ans, il est intelligent, cultivé, rusé comme la reine mère. Son goût excessif pour la parure, les processions funèbres, les beaux jeunes gens et les petits chiens ne s'accordent cependant pas très bien avec la dignité royale !

Sur les conseils de sa mère, il tente de reprendre le jeu de bascule entre catholiques et huguenots. Mais les deux partis sont maintenant très bien organisés. La « Ligue », appuyée par l'Église et l'Espagne, recrute des militants catholiques dans la France entière. « L'union calviniste », soutenue par l'Angleterre protestante et les princes allemands luthériens, est basée dans le Sud-Ouest, où elle a ses places fortes et peut lever des troupes et des impôts.

Sans argent ni soldats, Henri III a perdu toute autorité.

**La guerre des trois Henri**

Trois chefs s'affrontent dans la France d'alors : le roi Henri III ; le chef des huguenots, Henri de Navarre ; le chef de la Ligue, Henri de Guise, dit « le Balafré ».

Si Henri III n'a pas de fils, Henri de Navarre peut prétendre hériter de la couronne de France. Il est en outre le gendre de Catherine de Médicis. Il n'a échappé au massacre de la Saint-Barthélemy qu'en abjurant sa foi, le couteau sous la gorge ; mais par la suite, il s'est reconverti au calvinisme. Les catholiques ne peuvent donc envisager de l'avoir pour roi.

Henri de Guise, lui, est en revanche l'idole du parti catholique. Il estime avoir des droits à la couronne et ne cache pas son intention de faire destituer le roi... pour prendre sa place.

Paris, sous la pression des gens de la Ligue, est en effervescence. En 1588, on y placarde des affiches injurieuses pour le roi..., on y réclame la venue du Balafré, le « roi de Paris ». Malgré l'interdiction lancée par Henri III, Henri de Guise pénètre bientôt dans la capitale, accueilli par une foule en délire. Le roi, qui ne se sent plus en sécurité, prend la fuite !

**D'un assassinat à l'autre**

Réfugié dans son château de Blois, Henri III ne voit plus qu'une solution : éliminer le duc de Guise. Prévenu par des espions, le Balafré s'esclaffe : « Il n'oserait ! »... et vient au rendez-vous fixé par le roi. Le 23 décembre 1588, il est assassiné par la garde personnelle du monarque, dans une salle du château de Blois.

« A présent, je suis roi ! », déclare Henri III. Il se trompe. Paris, en apprenant la nouvelle, entre en insurrection... Henri décide alors de se rapprocher des calvinistes. En avril 1589, il signe un accord avec Henri de Navarre, le reconnaissant pour son héritier. Les deux princes viennent bientôt mettre le siège devant la capitale.

Le 1er août 1589, un jeune moine se présente au quartier général des troupes royales. Il s'appelle Jacques Clément, se dit porteur d'une nouvelle importante et demande à voir le roi en personne. Reçu par Henri III, il le poignarde mortellement...

Au début de cette même année, la vieille reine Catherine est morte elle aussi. Elle n'aura pas eu la douleur de perdre son dernier fils et de voir s'éteindre, avec lui, la dynastie des Valois. Car Henri de Navarre, fils d'un prince de Bourbon, va inaugurer celle des Bourbons.

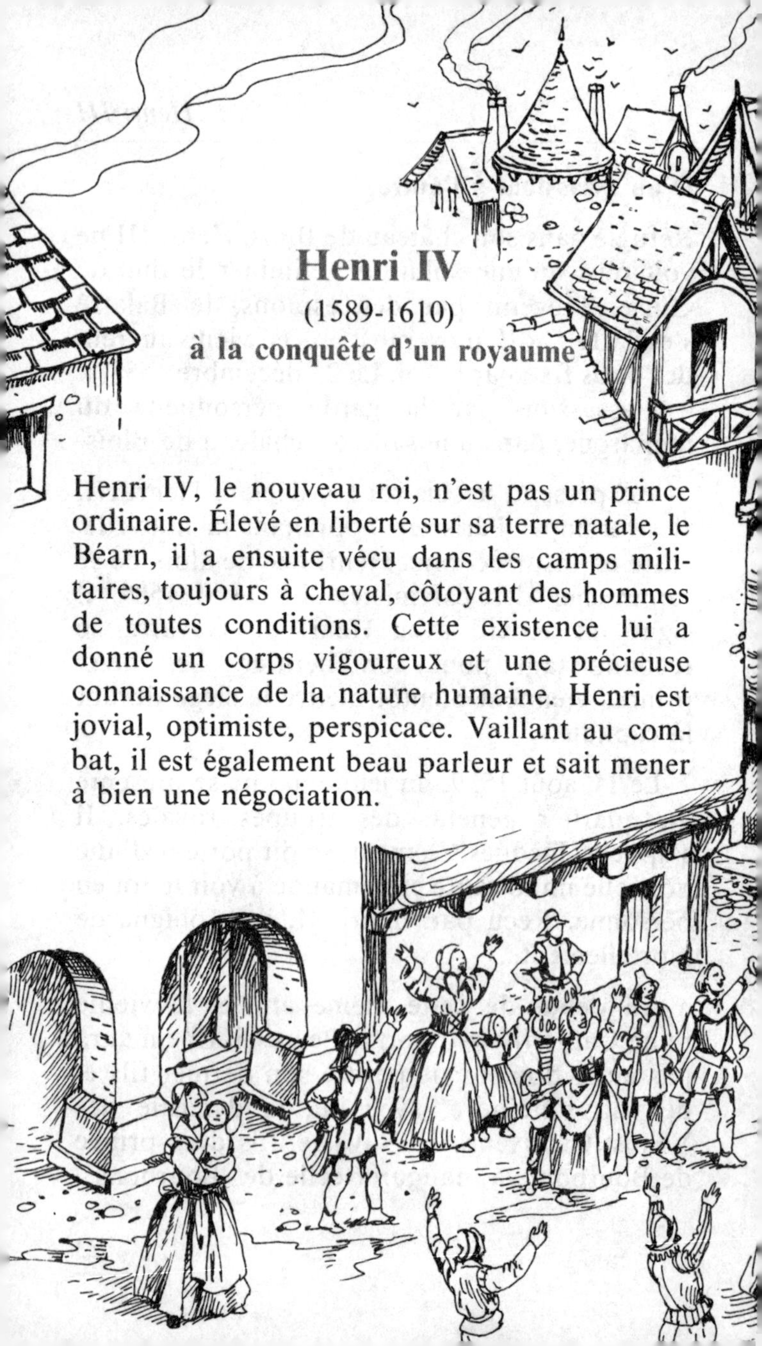

# Henri IV

## (1589-1610)

## à la conquête d'un royaume

Henri IV, le nouveau roi, n'est pas un prince ordinaire. Élevé en liberté sur sa terre natale, le Béarn, il a ensuite vécu dans les camps militaires, toujours à cheval, côtoyant des hommes de toutes conditions. Cette existence lui a donné un corps vigoureux et une précieuse connaissance de la nature humaine. Henri est jovial, optimiste, perspicace. Vaillant au combat, il est également beau parleur et sait mener à bien une négociation.

Toutes ces qualités vont l'aider à surmonter une situation difficile. Calviniste, il est rejeté par une partie des Français. Il lui faudra donc conquérir son royaume à la pointe de son épée. Paris, tenu par les Ligueurs et les soldats espagnols, résiste pendant quatre années aux armées royales. Finalement, Henri IV comprend que seule une conversion au catholicisme lui ouvrira les portes de la capitale. C'est ce qu'il fait, en 1594. Au printemps, il peut enfin entrer dans Paris, « ... qui vaut bien une messe ! ».

Henri est maintenant reconnu par tous ses sujets. Il a 40 ans. Son royaume, ravagé par trente années de guerre civile, est un champ de ruines. Il doit redresser le pays. Une tâche immense l'attend.

## Pour faire cohabiter protestants et catholiques : l'édit de Nantes

Le premier souci du roi est de rétablir le calme et d'accorder à tous ses sujets le droit de vivre en France sans être inquiétés à cause de leur religion. Le 13 avril 1598, il fait promulguer l'édit de Nantes, qui accorde aux protestants la liberté de culte. Ils disposeront aussi de places fortes pour assurer leur sécurité. Évidemment, cet acte de tolérance, d'une grande nouveauté pour l'époque, est mal ressenti par certains catholiques. Par exemple, le Parlement de Paris, cour suprême de justice, rechigne...

Henri IV, dans un discours célèbre, montre alors de quoi il est capable : « Je viens vous parler, non point en habit royal, mais vêtu comme un père de famille, en pourpoint, pour parler à mes enfants... Ce que j'ai fait est pour le bien de la paix... Je suis roi maintenant et je parle en roi. A la vérité, les gens de justice sont mon bras droit ; mais si la gangrène se met au bras droit, il faut que le gauche le coupe !.. » Et le Parlement enregistra l'édit...

## Pour restaurer l'autorité et les finances royales

« Un roi n'est responsable que devant Dieu et devant sa conscience », dit encore Henri IV, qui se fait une très haute idée de sa fonction. Il va donc travailler à rétablir son autorité partout. En province, il réduit le pouvoir des gouverneurs et envoie des agents royaux. Au Conseil, il évince les grands seigneurs, dont il se méfie. En revanche, il y fait entrer des hommes, catholiques ou protestants, parfois de modeste origine, mais qui ont sa confiance. Parmi eux, un certain Sully, gentilhomme pauvre, qui a été pendant vingt ans l'un de ses fidèles compagnons d'armes.

Les deux hommes s'attachent notamment à remettre de l'ordre dans les finances. L'État est couvert de dettes, l'impôt rentre mal et il pèse sur les plus pauvres. « Ruiner le peuple, a dit un jour le roi, c'est se défaire soi-même de sa main. »

Sully entreprend donc des réformes. La *taille,* qui touche très fortement les paysans, est diminuée. En revanche, il augmente les taxes et les droits de douane, qui sont payables par tous.

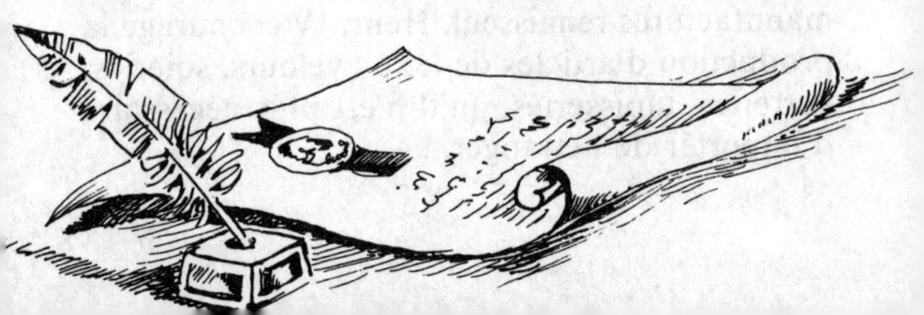

**Reconstruire le royaume**

En cette fin du XVIe siècle, la France est dans un triste état : terres en friche, routes défoncées, villes et villages dépeuplés... Le commerce et l'industrie se portent mal. Les brigands sévissent... Sully fait réparer les routes, reconstruire les ponts, draguer les rivières. Il rétablit les foires et crée des voitures publiques pour transporter les voyageurs.

Vous connaissez sans doute la fameuse formule de Sully : « Labourage et pâturage sont les deux mamelles de la France. » Selon cet excellent principe (aujourd'hui, on parlerait plutôt du « pétrole vert » de la France), l'agriculture est favorisée. On invite les nobles à mettre en valeur leur domaine. On incite les paysans à développer des cultures nouvelles comme la betterave ou le mûrier, qui permet l'élevage du ver à soie.

L'industrie n'est pas oubliée pour autant. Les manufactures renaissent. Henri IV encourage la production d'articles de luxe : velours, soieries, verreries, tapisseries, qu'il n'est plus nécessaire d'importer de l'étranger.

**A l'enseigne du**
**« Cœur couronné percé d'une flèche »**

Dans le Paris d'Henri IV, cette enseigne décorait une boutique de la rue de la Ferronnerie. Dans cette rue très étroite, le 14 mai 1610, il y a un embouteillage. Et le carrosse royal est immobilisé à la hauteur de cette boutique... C'est alors qu'un homme, nommé Ravaillac, bondit sur le marchepied et poignarde le roi. Henri IV meurt presque aussitôt.

Les Français pleurèrent le « bon roi Henri »... Avec le temps, il allait devenir le plus populaire de nos rois. D'ailleurs, il avait lui-même déclaré un jour : « Le naturel des Français est de n'aimer point ce qu'ils voient. Ne me voyant plus, vous m'aimerez et, quand vous m'aurez perdu, vous me regretterez ! »

# Louis XIII
(1610-1643)
et un certain cardinal de Richelieu

A la mort de son père Henri IV, Louis XIII est un enfant de 9 ans. Sa mère, Marie de Médicis, va donc assurer la régence du royaume, comme l'avait fait Catherine. Marie aime le pouvoir, mais elle manque de discernement. Elle tombe notamment sous l'influence d'un couple d'aventuriers, Concini et sa femme, qu'elle comble de faveurs. Voyant cela, les grands seigneurs réclament à leur tour leur part du gâteau. La régente puise alors dans les économies amassées par Sully... Et le Trésor se trouve bientôt vide !

**La révolte du jeune roi**

Fait marquis et maréchal de France, Concini voit l'avenir en rose et traite le jeune Louis XIII avec désinvolture et arrogance. Blessé dans son orgueil, le jeune homme décide alors de supprimer le favori de sa mère. Le 24 avril 1617, Concini est arrêté à la porte du palais du Louvre et tué d'un coup de pistolet. Les courtisans s'empressent de féliciter le roi, qui réplique fièrement : « Grand merci à vous, mes amis ; maintenant, je suis le roi, je le suis et le serai, Dieu aidant, plus que jamais. »

Mais Louis XIII n'a encore que 16 ans. Il est inexpérimenté, mal préparé à son métier de roi. Il remplace un favori par un autre, Albert de Luynes, qui se révèle aussi avide et incapable que Concini.

**L'irrésistible ascension de Richelieu**

Pourtant, la situation du royaume, où s'agitent grands seigneurs et protestants, exigerait la présence au gouvernement d'un homme fort. Cédant aux avis de sa mère, Louis XIII fait appel à un certain Armand du Plessis de Richelieu. Qui est-il ?

Modeste évêque originaire du Poitou, Richelieu a fait son chemin en rendant de multiples services à la reine mère. Il entre au Conseil du roi en avril 1624, et se rend rapidement indispensable. Cinq mois plus tard, il devient chef du Conseil et le restera pendant dix-huit ans, jusqu'à sa mort.

## LE DOSSIER EN COULEURS

*Vous trouverez dans ces pages*
*des documents en couleurs.*
*Vous pouvez les détacher,*
*soigneusement, sans abîmer votre livre.*
*Vous aurez ainsi des vignettes*
*qui vous permettront de constituer*
*un premier dossier personnel.*

1

2

3

4

*Si vous détachez ce dossier, commencez par relever les numéros des illustrations... et recopiez sur une feuille ces légendes. Vous saurez ainsi à quoi correspond chaque document.*

Ici, nous avons réuni les principaux rois évoqués dans ce livre. Une véritable galerie de portraits...

1. **François Ier** (portrait de Jean Clouet).
2. **Henri II.**
3. **Henri III.**
4. **Henri IV.**
5. **Louis XIII.**
6. **Louis XIV.**
7. **Louis XV** (portrait de Carle van Loo).
8. **Louis XV** montant à l'échafaud.

5

6

7

8

**Références photographiques**

Dagli Orti : 1, 2, 3, 4, 5, 6, 7, 8

Louis XIII est un roi difficile à comprendre. Timide et renfermé, préférant la chasse et la guerre à la politique, il accepte volontiers de confier la direction des affaires à un homme qu'il admire. Cependant, il veut être informé de tout et ne manque jamais de faire sentir qu'il est le maître. « Les quatre pieds carrés du cabinet du roi, dira un jour Richelieu, me sont plus difficiles à conquérir que tous les champs de bataille de l'Europe. »

Le roi et le cardinal seront pourtant toujours d'accord sur la politique à suivre : « ruiner le parti huguenot, rabaisser l'orgueil des grands, réduire les sujets à leur devoir ». Ce programme, défini par Richelieu, tend à faire de l'État français une monarchie absolue, c'est-à-dire une monarchie où le roi détient presque tous les pouvoirs.

**Vers la monarchie absolue**

Grand travailleur, volontaire, tenace et concret, Richelieu applique impitoyablement le programme qu'il s'est fixé. Il s'attaque d'abord aux protestants, qui prétendent former un « État dans l'État ». La Rochelle, capitale huguenote, vient de s'allier aux Anglais... En 1627, le cardinal conduit le siège de la cité. Il l'isole de la mer, et du secours de la flotte anglaise, en construisant une digue. Réduite à la famine, la ville doit se rendre au bout d'un an.

En 1629, le roi accorde aux protestants un édit de Grâce. Ils conservent leur liberté religieuse, mais perdent les places fortes que l'édit de Nantes leur avait accordées.

Contre les nobles, la lutte du cardinal va être longue. Les « Grands » ont des appuis au sein même de la famille royale. Certains organisent des complots, dans l'espoir de renverser Richelieu et de prendre sa place... Mais celui-ci réussira toujours à déjouer leurs manœuvres, faisant exécuter les coupables et raser leurs châteaux forts.

Le roi et le cardinal décident aussi d'en finir avec l'opposition des Parlements. Propriétaires de leur charge, ne pouvant être déplacés d'une ville à l'autre, les parlementaires se montrent facilement insolents. Ils se font parfois tirer l'oreille pour enregistrer un édit ou une ordonnance royale. Louis XIII les convoque un jour et ne mâche pas ses mots : « Si vous continuez vos entreprises, je vous rognerai les ongles de si près qu'il vous en cuira ! »

Tout semble devoir plier devant la volonté royale. Des « intendants », envoyés dans chaque province, veillent à faire exécuter les ordres du roi. Et quand les pauvres gens des campagnes se soulèvent, accablés par la misère et les impôts toujours plus lourds, leurs révoltes sont réprimées dans le sang.

**Le prestige de la France**

Maître à l'intérieur, le cardinal cherche à redresser l'image de la France à l'étranger. Il reprend la lutte contre l'Espagne et lui arrache deux provinces : l'Artois et le Roussillon. Dans le même temps, il développe une marine puissante et lance des compagnies de commerce. Des Français s'installent au Canada, aux Antilles et sur les côtes de l'Afrique.

Richelieu a également compris l'influence importante des « intellectuels », que l'on écoute, dont on suit les opinions et les avis. Cela le conduit à réunir les écrivains français dans une Académie (notre « Académie française ») et à subventionner la *Gazette de France,* premier journal créé dans le pays par Théophraste Renaudot.

Épuisé par un travail surhumain, miné depuis longtemps par la maladie, Richelieu s'éteint en décembre 1642. Six mois plus tard, Louis XIII suit son ministre dans la tombe.

# Louis XIV
## (1643-1715) et l'apogée de la monarchie absolue

En 1643, à la mort de son père, Louis XIV n'a que 5 ans. Sa mère, Anne d'Autriche, devient régente du royaume. En fait, elle remet la conduite des affaires au cardinal Mazarin, ancien collaborateur de Richelieu.

Italien d'origine, Mazarin est aussi souple et séduisant que Richelieu était dur et cassant. Évidemment, les parlementaires et les grands seigneurs, mis au pas sous Louis XIII, en profitent pour relever la tête... et déclencher une nouvelle guerre civile. Cette « Fronde » se poursuivra pendant cinq ans, obligeant le petit roi à fuir Paris par une nuit glaciale de janvier 1649. Louis XIV n'oubliera jamais cet affront !

A partir de 1653, le jeune Louis participe au Conseil, faisant peu à peu son apprentissage de roi. Mais il laisse toujours à Mazarin le premier

rôle et passe pour un prince léger, uniquement préoccupé de chasses et de bals.

## Un roi qui gouverne

Mazarin meurt en 1661. Dès le lendemain de sa mort, Louis réunit le Conseil. Et là, à la surprise générale, son ton change. « Jusqu'à présent, dit-il, j'ai bien voulu laisser gouverner mes affaires par feu monsieur le Cardinal. Il est temps que je les gouverne moi-même. Vous m'aiderez de vos conseils, quand je vous les demanderai... »

Louis XIV est alors âgé de 23 ans. Il vient d'indiquer clairement qu'il ne laissera pas le pouvoir, comme son père l'avait fait, à un Premier ministre. Car il entend exercer pleinement son métier de roi. Un métier auquel il se consacrera, sans faiblir, durant cinquante-quatre ans, travaillant chaque jour avec ses ministres, voulant être informé de tout et prenant toutes les décisions.

Aucun autre roi, sans doute, n'a montré autant d'application à sa tâche ! C'est que Louis XIV avait une conscience aiguë de ses droits et de ses devoirs. Estimant détenir son pouvoir de Dieu même, il exige une obéissance absolue de ses sujets. Mais cette royauté de « droit divin » l'oblige, en retour, à s'assurer personnellement et à tout moment de la bonne marche du royaume.

## Pour être puissant, il faut être riche

Les années troublées de la Fronde et diverses autres difficultés imposent une véritable remise en route de l'économie française. Pour mener à bien ce redressement, Louis XIV va s'appuyer sur un ministre de grande valeur, Colbert, un homme qui sait tenir les comptes. Lui-même, d'ailleurs, s'enrichira beaucoup. Austère et intraitable, il se débarrasse des financiers malhonnêtes et réforme le système des impôts. Il établit également une comptabilité rigoureuse, qui permet au roi d'avoir une idée exacte des dépenses et des recettes.

Assurant un travail considérable, restant à son bureau jusqu'à seize heures par jour, Colbert se voit bientôt confier d'autres missions. Il a en effet convaincu Louis XIV qu'il fallait développer l'industrie et le commerce. Ses principes sont simples. Pour que la France soit riche, elle doit vendre le plus possible à l'étranger et lui acheter le moins possible ! Partant de là, Colbert encourage la création de grandes manufactures. Et pour que la qualité des produits soit irréprochable, il impose aux industriels une réglementation très sévère. Tapisseries, étoffes, glaces et aciers français acquièrent une grande renommée. Cependant, l'économie souffrira aussi de ce « dirigisme » d'État, qui laisse peu de place à l'initiative.

**Les splendeurs de Versailles**

Roi tout-puissant, Louis XIV veut donner à sa Cour un éclat extraordinaire, dans un cadre spécialement conçu pour elle. Le palais du Louvre, à Paris, est trop petit, et plein des mauvais souvenirs de la Fronde. Le roi choisit donc d'installer à Versailles sa nouvelle demeure...

Autour d'un pavillon de chasse datant de son père, Louis XIV fait édifier un palais splendide. Sa construction occupera jusqu'à trente mille hommes et les travaux se poursuivront sans cesse au cours de son règne.

A Versailles, la vie du monarque est réglée selon une « étiquette » rigide. Les actes quotidiens du roi (son lever, son dîner, son coucher...) deviennent autant de cérémonies auxquelles les courtisans s'empressent d'assister. C'est bien ce que souhaitait le roi. Car ces courtisans, ce sont les nobles qui ont déserté leurs domaines pour mener, auprès de lui, une vie oisive et dorée. Les rebelles d'hier, les grands seigneurs frondeurs, ne songent plus qu'à « faire leur cour » au souverain, en essayant de lui soutirer faveurs et pensions.

**Le goût des arts et des artistes**

Louis XIV a soin d'entretenir ce zèle en offrant à ses courtisans des fêtes somptueuses, où se mêlent tous les arts. Dans ce domaine, il a le goût très sûr. Il saura distinguer et protéger les meilleurs artistes de son temps : les écrivains Molière et Racine, le musicien Lully, les architectes Le Vau et Mansart, et beaucoup d'autres.

Le Nôtre, décorateur et paysagiste, conçoit pour Versailles de magnifiques « jardins à la française ». On les appelle ainsi car on peut y admirer une nature domestiquée, qui répond au désir du roi. Louis XIV adore ses jardins et s'y promène fréquemment. Les gens du peuple, à condition d'être décemment vêtus, peuvent y pénétrer et avoir ainsi l'occasion de rencontrer leur roi. Un jour, un officier gascon, qui avait perdu son bras à la guerre, s'approche du souverain et lui demande une pension... Louis XIV, qui aimait prendre le temps de la réflexion, lui fait sa réponse habituelle :

— Je verrai...

— Mais, Sire, répond le Gascon, si j'avais dit à mon général : « Je verrai », lorsqu'il m'a envoyé là où j'ai perdu mon bras, je l'aurais encore et ne vous demanderais rien !

Touché, le roi lui accorda sa pension.

**Une France sur le pied de guerre**

Surnommé le « Roi-Soleil », Louis XIV souhaite briller au-delà des frontières. Son ambition : dominer l'Europe, la faire vivre à l'heure française ! Vaste programme, qui entraîne le pays dans une série de conflits. Au début, les victoires sont au rendez-vous. Secondé par son ministre Louvois, le roi a constitué une armée forte, bien équipée, entraînée et disciplinée.

Mais le succès n'est pas toujours bon conseiller. Jugeant ses troupes invincibles, Louis XIV les pousse jusqu'en Hollande et en Allemagne. L'admiration, mêlée de crainte, qu'il inspirait à l'Europe se change alors en opposition farouche. D'autant que Louis XIV prend une décision qui indigne profondément des États protestants comme la Hollande et l'Angleterre.

En 1685, en effet, il révoque l'édit de Nantes, accordé par son grand-père Henri IV ! Les protestants français sont pourchassés. On tente de les convertir de force au catholicisme. Finalement, pour rester fidèles à leur religion, des dizaines de milliers d'entre eux fuient le royaume en cachette. Malheur à ceux qui sont pris ! Et quelle perte pour un pays que tous ces gens, souvent très actifs, qui vont s'installer à l'étranger avec leurs connaissances, leurs techniques, leur savoir-faire !

Un autre événement met le feu aux poudres. En 1700, le roi d'Espagne meurt sans enfant. Il lègue par testament son royaume à un petit-fils de Louis XIV. Celui-ci triomphe. « Il n'y a plus de Pyrénées ! », déclare-t-il. Évidemment, cette installation d'un prince français sur le trône d'Espagne déclenche une réaction violente des autres souverains européens. Ils se liguent contre le roi de France. Louis XIV va maintenant connaître l'amertume des défaites...

### Des ombres sur le Soleil

Le roi n'est plus ce fringant jeune homme qui triomphait dans les bals et sur les champs de bataille. Avec l'âge, il est devenu très pieux. La Cour de Versailles a cessé d'être le centre de tous les plaisirs : on y mène une vie austère, ennuyeuse. Le coût des armées et les dépenses somptueuses du roi ont complètement vidé le

Trésor. Dans le pays, la guerre permanente et l'exil des protestants ont ruiné l'industrie et le commerce. Aggravant la situation, plusieurs hivers rigoureux compromettent les récoltes et la famine sévit partout.

1712 est pour le vieux roi l'année de tous les malheurs. Après avoir perdu son fils, il voit mourir successivement son petit-fils, puis la femme et le fils de celui-ci. A ces chagrins privés, s'ajoute l'invasion d'une armée ennemie qui menace Paris...

Le roi a maintenant 74 ans. A la fois désespéré et résolu, il convoque le chef de ses armées, le maréchal de Villars. « Si la bataille est perdue, lui dit-il, vous l'écrirez à moi seul. Je monterai à cheval... Je vous mènerai 200 000 hommes et je m'ensevelirai avec vous sous les ruines de la monarchie. » Douze jours plus tard, la victoire de Denain sauve la France du désastre.

Louis XIV meurt en 1715. Il laisse le trône à son arrière-petit-fils, Louis XV, un enfant de 5 ans.

# Louis XV
(1715-1774)
## et le siècle de la France

Si vous avez suivi, depuis le début, cette histoire des rois de France, vous avez déjà rencontré trois régentes : Catherine et Marie de Médicis, puis Anne d'Autriche. Cette fois, c'est un homme, Philippe d'Orléans, neveu de Louis XIV, qui va gouverner pendant la minorité de Louis XV. Et il y aura tant de bouleversements au cours de ces sept années que cette période demeure, pour les historiens, celle de « la Régence ».

**Une nouvelle époque**

La Régence, c'est d'abord l'abandon du palais de Versailles. Le petit roi comme le régent résident à Paris, qui redevient le centre politique et culturel de la France.

La Régence, c'est aussi une époque de « libération » sur tous les plans. Après la triste fin de règne de Louis XIV, les gens ont envie de s'amuser. Philippe d'Orléans, prince cultivé et débauché, n'est pas le dernier à donner l'exemple. Mais c'est aussi un homme intelligent, ouvert aux idées nouvelles. Ainsi, il écoute avec intérêt les propositions d'un certain John Law. Celui-ci lui suggère de créer pour la première fois en France une monnaie de papier rapportant des intérêts.

Une banque s'ouvre donc, rue Quincampoix. Les gens s'y bousculent pour échanger leurs pièces d'or et d'argent contre du « papier ». La banque s'engage, bien sûr, à les rembourser avec des intérêts à tout moment. Ils achètent aussi des « actions », qui doivent rapporter de gros bénéfices grâce à la mise en valeur d'une colonie d'Amérique, la Louisiane... Pendant quatre ans, le système de Law fonctionne à merveille. L'État voit rentrer des métaux précieux. Mais il faut commencer à payer des intérêts, et des bruits courent selon lesquels la banque n'est pas très solide. Alors, la confiance des déposants s'effrite. Les porteurs de billets finissent même par s'affoler : ils veulent tous se faire rembourser en même temps. Mais comment rembourser trois milliards de billets avec seulement un demi-milliard de métal dans les caisses ?

En 1720, la banque ferme. Beaucoup de gens sont ruinés... et dégoûtés pour longtemps du papier-monnaie. L'État, lui, a fait une bonne opération et renfloué un peu son trésor.

## Son Éternité, le cardinal de Fleury

Quand le régent meurt, en 1723, la Cour a regagné Versailles depuis un an. Louis XV a grandi. Il est beau, intelligent, mais timide. Obligé, depuis l'enfance, de présider des cérémonies, il déteste la foule et les visages nouveaux. Certains disent qu'il manque de volonté. Quoi qu'il en soit, il n'envisage pas de se consacrer à son métier de roi comme l'a fait son aïeul Louis XIV. Il confie donc le pouvoir à son ancien précepteur, le cardinal de Fleury.

Devenu Premier ministre à 73 ans, Fleury va le rester jusqu'à sa mort, à l'âge de 90 ans. Ses ennemis, désespérés de le voir durer si longtemps, le surnomment « Son Éternité » !

Pourtant, Fleury gouverne sagement et le pays connaît alors une période de paix et de prospérité dont il avait grand besoin. L'agriculture progresse et de nouvelles manufactures sont créées. Le réseau routier s'améliore et le commerce maritime se renforce en même temps que l'empire colonial français se développe en Amérique et en Inde.

**Le « Bien-Aimé » à l'épreuve des faits**

A la mort du cardinal de Fleury, Louis XV a 33 ans. Il comprend qu'il est temps pour lui de prendre les choses en main. Il annonce donc son intention de gouverner seul. Puis, la guerre s'étant rallumée, il se met à la tête de ses troupes et remporte, aux côtés du maréchal de Saxe, la victoire de Fontenoy. Il n'en faut pas davantage pour enflammer le cœur des Français, qui surnomment leur roi « Louis le Bien-Aimé ». Mais leur enthousiasme sera d'assez courte durée.

S'ennuyant vite au Conseil, pressé de retourner à ses plaisirs, Louis XV ne parvient pas à imposer une ligne politique, à engager des réformes nécessaires. Tandis que le peuple croule sous les impôts, la Cour vit dans le luxe. On jase sur la favorite du roi, Mme de Pompadour, et sur les sommes folles que coûtent ses toilettes et ses châteaux.

Bientôt, dans le royaume, l'indignation remplace la ferveur. On accuse la Cour, qui dépense la moitié des revenus publics, d'être le « tombeau de la Nation ».

**Le Siècle des Lumières**

Si le roi devient si vite impopulaire, cela tient à ses défauts, mais aussi à l'époque. Une époque qui se baptise « Siècle des Lumières », car tout y est examiné à la lumière de la « raison ». L'esprit critique est à l'ordre du jour. Des écrivains, qui s'appellent eux-mêmes « philosophes » (en grec, cela veut dire amis de la sagesse), remettent beaucoup de choses en question. Espérant construire une société plus juste, où chacun devrait avoir la chance de conduire sa vie librement, ils rejettent le pouvoir absolu du roi.

Les idées des philosophes — dont les plus célèbres se nomment Montesquieu, d'Alembert, Voltaire, Diderot et Rousseau — sont discutées dans les salons parisiens. Là, se réunissent des écrivains, des savants, des artistes de l'Europe entière.

Influencé par la marquise de Pompadour, qui protège les écrivains, Louis XV ne peut s'opposer trop longtemps à ce mouvement d'idées. C'est ainsi, finalement, que *L'Encyclopédie,* l'œuvre colossale du Siècle des Lumières, pourra voir le jour. Il s'agit d'un dictionnaire en 28 volumes, qui résume l'ensemble des connaissances de l'époque.

**Le temps des désillusions**

Entre 1740 et 1763, la France est en guerre, à plusieurs reprises, contre divers pays européens. Cela coûte fort cher pour un drôle de résultat : permettre au roi de Prusse d'agrandir ses territoires... Il nous en reste une expression : « Travailler pour le roi de Prusse ! »

Au-delà des mers, en Amérique comme en Inde, les Français et les Anglais se livrent une lutte incessante. Mais ces derniers, ayant compris l'importance économique de ces pays lointains, y envoient des troupes en renfort. Ce que ne fait pas la France, qui perd ainsi l'Inde, le Canada et la Louisiane...

**« Les choses dureront bien... »**

Les défaites et l'impopularité ne changent en rien la conduite du roi et de la Cour. « Les choses, comme elles sont, dureront bien autant que moi », déclare-t-il un jour. Cette phrase, répétée et déformée, deviendra : « Après moi, le déluge ! »

En juin 1763, on s'apprête à inaugurer la place Louis XV, devenue aujourd'hui place de la Concorde. On dresse en son milieu une statue du roi à cheval. Elle repose sur un piédestal où sont représentés la Force, la Prudence, la Justice et la Paix. Aussitôt, la statue se couvre d'inscriptions injurieuses, telle celle-ci :

« Grotesque monument, infâme piédestal,
Les vertus sont à pied, le vice est à cheval. »

Louis XV meurt en 1774. Il est enterré de nuit, presque secrètement. Le temps du Bien-Aimé paraît loin.

# Louis XVI

(1774-1792)

**l'homme qui ne voulait pas être roi**

Quand Louis XVI succède à son grand-père Louis XV en mai 1774, le peuple laisse éclater sa joie, car le jeune roi fait naître tous les espoirs. Pourtant, celui-ci est comme saisi de vertige. « Je n'ai que 20 ans et pas toutes les connaissances qui me seraient nécessaires », s'exclame-t-il.

Qui est donc ce curieux prince qui ne veut pas régner ? Un homme simple, bon, mais faible. Aussi peu fait pour les fastes de la Cour que pour les responsabilités de l'État, Louis XVI n'est heureux qu'à la chasse ou dans son atelier de serrurerie.

### Un vent de réformes

Une fois encore, les caisses sont vides. Le nouveau contrôleur des Finances, Turgot, parvient à faire comprendre au roi que des réformes sont indispensables. Il propose de réduire les dépenses de la Cour et d'établir un nouvel impôt qui sera payé par tous les propriétaires.

Aussitôt, les nobles, les parlementaires, le haut clergé, c'est-à-dire les privilégiés, s'insurgent. La reine Marie-Antoinette prend la tête des opposants et obtient du roi qu'il renvoie Turgot. Louis XVI avait pourtant déclaré à son ministre : « Je vous donne ma parole d'honneur d'entrer dans toutes vos vues et de vous soutenir toujours !... »

Turgot est remplacé par un banquier de Genève, Necker. Ce dernier remplit provisoirement le Trésor en accumulant les emprunts.

## Le vent d'Amérique

De l'argent, encore de l'argent. Il en faut d'autant plus depuis que Louis XVI a décidé d'envoyer des armes et des troupes en Amérique, pour soutenir l'insurrection des colons américains contre l'Angleterre. N'est-ce pas une façon de se venger des défaites subies sous Louis XV ?

La revanche, en effet, est éclatante. Les troupes franco-américaines sont victorieuses. Et c'est par un traité, signé à Versailles en 1783, que l'indépendance des États-Unis d'Amérique est reconnue.

Le nouvel État devient une république, qui s'appuie sur des idées de liberté et d'égalité. Nous retrouvons là nos philosophes des Lumières... Cet événement a un énorme retentissement... Et de plus en plus de Français regardent vers l'Amérique.

## La course à l'abîme

Louis XVI, lui, demeure toujours aussi faible. Dès qu'un de ses ministres propose la moindre réforme, le clan des privilégiés se mobilise... et fait céder le roi. Necker, renvoyé à son tour, décide de se venger. Il publie un compte rendu où s'étalent les chiffres des pensions versées à la noblesse de Cour. On apprend ainsi qu'en un temps où un ouvrier gagne 280 livres par an, une famille pensionnée par le roi peut recevoir jusqu'à 500 000 livres ! Le scandale est énorme... Et l'argent fait plus que jamais défaut dans les caisses. Louis XVI, accablé, soupire : « Je voudrais m'endormir pendant six mois ! »

L'année 1788 est particulièrement difficile. Le blé manque, les prix montent, la disette et le chômage provoquent des émeutes. Et comment remplir le Trésor ? Finalement, Louis XVI se résout à convoquer les états généraux pour l'année suivante. Ils n'avaient pas été réunis depuis 1614.

## Le grand espoir

Bientôt, à travers le pays, les gens se rassemblent pour élire les députés qui siégeront aux états généraux. Ils rédigent aussi des « cahiers de doléances » où ils font part de leurs critiques et des changements qu'ils voudraient obtenir.

5 mai 1789, à Versailles. Séance d'ouverture solennelle des états généraux. Le roi puis son ministre prennent la parole... Aussitôt, la déception gagne la majorité des députés. Il n'est question que d'argent, et jamais des réformes tant attendues. Le 17 juin, après six semaines d'inaction, les députés du tiers état, considérant qu'ils représentent la majorité de la population française — 94 % ! —, se proclament « Assemblée nationale ».

**Le tourbillon révolutionnaire**

Pour répondre à ce coup d'éclat, le roi rassemble des troupes autour de la capitale. Alors, l'inquiétude et la colère s'emparent des Parisiens. Le 14 juillet, ils prennent d'assaut la vieille forteresse de la Bastille. La Révolution est en marche. Ce jour-là, Louis XVI note sur son journal de chasse : « 14 juillet 1789 : rien. »

La révolte gagne aussi les campagnes. L'Assemblée, pour ramener le calme, va prendre une mesure spectaculaire. Dans la nuit du 4 août, elle abolit tous les privilèges. Désormais, les Français seront égaux devant la loi.

L'ordre ancien s'écroule, même si Louis XVI et Marie-Antoinette refusent de l'admettre. Le peuple, alors, marche sur Versailles et, le 6 octobre, ramène la famille royale à Paris. L'Assemblée, elle aussi, gagne la capitale et met en œuvre un programme gigantesque. Il faut définir les pouvoirs du roi et ceux de la Nation, réformer les impôts, réorganiser la justice et l'administration...

**Un double jeu fatal**

Le 14 juillet 1790, le roi et la Nation semblent se réconcilier. Sur le Champ-de-Mars, ils se retrouvent au cours de la gigantesque fête de la Fédération. Mais Louis XVI n'est pas sincère. Secrètement, il demande de l'aide à son beau-frère, l'empereur d'Allemagne...

Le 20 juin 1791, à minuit, il s'enfuit avec sa famille vers la frontière de l'Est. Reconnu en chemin, le roi est arrêté à Varennes. Le retour sur Paris est sinistre. Le roi est maintenant déconsidéré. En outre, la guerre semble bientôt inévitable avec la Prusse et l'Autriche, qui redoutent de voir la révolution se propager dans leurs États. A Paris, beaucoup souhaitent aussi la guerre : les révolutionnaires pour assurer leur victoire, le roi pour reprendre les choses en main si la défaite survient.

**La chute de la royauté**

Le 20 avril 1792, la guerre est déclarée. Les premiers affrontements sont défavorables aux troupes françaises, mal préparées. D'autant

plus que beaucoup d'officiers, nobles, ont émigré depuis 1789. La colère et la peur soulèvent une nouvelle fois le peuple parisien. Le 10 août 1792, il se lance à l'assaut du palais des Tuileries, où loge le roi. Celui-ci est démis de ses fonctions, puis emprisonné avec sa famille dans le donjon du Temple...

En septembre 1792, l'armée française s'impose à Valmy. En même temps, la République est proclamée.

Louis XVI n'a plus sa place dans le nouvel État français et l'on décide de faire son procès. Celui-ci se déroule dans de très mauvaises conditions. N'a-t-on pas découvert, dans une armoire de fer des Tuileries, des papiers secrets prouvant l'entente du roi avec l'étranger ?

Le 20 janvier 1793, reconnu coupable de haute trahison, Louis XVI est condamné à mort. Ce roi, qui n'a pas su régner, montre, face à la guillotine, courage et dignité. Parvenu au pied de l'échafaud, il impose silence aux tambours et s'écrie : « Je meurs innocent. Je pardonne aux auteurs de ma mort et je prie Dieu que mon sang ne retombe par sur la France. »

Neuf mois plus tard, la reine Marie-Antoinette sera guillotinée à son tour. Leur fils, le dauphin, mourra en prison. Plus tard, après la Révolution et l'épopée napoléonienne, les frères de Louis XVI régneront sous les noms de Louis XVIII et de Charles X. Mais ceci est une autre histoire. Avec Louis XVI et la Révolution, prend fin l'Ancien Régime, celui des rois au pouvoir absolu.

## Pour retrouver des personnages, des lieux, etc.

---

## Quelques dates repères

**1515-1547 : François Ier**
1515 Victoire de François Ier à Marignan.
1520 Rupture de Luther avec le pape.
1525 Défaite de Pavie.
1539 Ordonnance de Villers-Cotterêts : le français devient langue officielle.

**1547-1559 : Henri II**
1556 Abdication de Charles Quint
1559 Paix de Cateau-Cambrésis.

**1559-1560 : François II**

**1560-1574 : Charles IX**
1560 Catherine de Médicis assure la régence.
1570 L'amiral de Coligny entre au Conseil du roi.
1572 Massacre de la Saint-Barthélemy.

**1574-1589 : Henri III**

1588 Assassinat du duc de Guise. Insurrection de Paris.
1589 Le roi meurt assassiné.

**1589-1610 : Henri IV**

1598 L'édit de Nantes accorde la liberté de culte et des garanties aux protestants.
1610 Assassinat de Henri IV.

**1610-1643 : Louis XIII**

1624 Le cardinal de Richelieu entre au Conseil du roi.
1629 L'édit de Grâce d'Alais limite les droits des protestants.

**1643-1715 : Louis XIV**

1643 Anne d'Autriche, secondée par Mazarin, assure la régence.
1661 Début du règne personnel de Louis XIV.
1668 Début des grands travaux à Versailles.
1685 Révocation de l'édit de Nantes.
1701 Philippe, petit-fils de Louis XIV, devient roi d'Espagne.

**1715-1774 : Louis XV**

1715 Le duc d'Orléans assure la régence.
1723 Mort du « Régent ».
1726 Le cardinal Fleury entre au Conseil du roi.
1743 Louis XV prend la direction du Conseil.
1751 Début de la parution de *l'Encyclopédie.*
1763 Le traité de Paris consacre la perte des colonies françaises.

**1774-1792 : Louis XVI**

1776 Turgot échoue dans ses projets de réforme.
1783 Le traité de Versailles consacre l'indépendance des États-Unis d'Amérique.
1789 5 mai : ouverture des états généraux.
14 juillet : prise de la Bastille.
1791 20-21 juin : fuite manquée du roi.
1792 12 août : prise des Tuileries et chute de la royauté.
20 septembre : victoire de Valmy.
21 septembre : proclamation de la république.
1793 21 janvier : Louis XVI meurt guillotiné.

## Encore de l'histoire !

1515-1792 : un petit livre pour une longue période... Vous avez certainement envie d'en savoir plus. Mais on pourrait remplir des pages et des pages avec toutes les pistes que vous pourriez suivre. Contentons-nous d'en citer quelques-unes.

Des livres, d'abord. Si vous avez aimé le ton de ce « Monde en Poche », sachez que cette collection vous propose d'autres titres qui traitent de cette période : *Les grandes dates de l'Histoire de France, Léonard de Vinci, Molière, A Versailles au temps de Louis XIV, A la Bastille (14 juillet 1789).* Les Éditions Nathan ont également récemment publié pour les jeunes une *Histoire de France,* de Philippe Brochard (collection « La Nouvelle Encyclopédie »), et *Le Grand livre de l'Histoire de France,* de Daniel Sassier. Chez d'autres éditeurs, notez *L'Histoire de France,* de Patrick Restellini (Hatier), *Ma première Histoire de France,* de N. Bosetti et C. Epinay (Études vivantes). Vous découvrirez vous-même beaucoup, beaucoup d'autres livres chez votre libraire ou en bibliothèque.

Pensez aussi à visiter les musées et les châteaux, riches des souvenirs de cette époque : le Louvre, Versailles, Fontainebleau, les châteaux de la Loire, etc., vous attendent.

Au cinéma, aussi, des diverses versions des *Trois Mousquetaires* aux films s'intéressant surtout aux réalités de la vie des Français, comme *Les Camisards,* vous aurez cent occasions d'emprunter la machine à remonter le temps.

A vous de défricher d'autres pistes !

# Monde en Poche
## une véritable encyclopédie

### Histoire

748. Les premiers hommes
754. La conquête du feu
701. Avec les hommes préhistoriques au temps de Cro Magnon
769. L'invention de l'écriture
707. Pyramides et pharaons
721. Les dieux de la Grèce
702. Dans un village gaulois
751. La vie d'un légionnaire romain
733. Pompéi, une cité retrouvée
786. Dans une villa gallo-romaine
750. Une grande expédition viking
703. Chevaliers et châteaux forts
730. Les croisades
770. Au pays des Incas
761. A Versailles au temps de Louis XIV
704. A la Bastille ! 14 juillet 1789
765. Un grand soldat de la Révolution et de l'Empire
794. A la recherche des pharaons
774. A la découverte du Nil
722. La ruée vers l'or en Californie vers 1850
762. La marine à voile au temps des cap-horniers
783. Héros de la Résistance
729. 6 juin 1944, le débarquement
725. Les grandes dates de l'histoire de France
785. Histoire des rois de France, de François 1er à Louis XVI
736. Les samouraïs dans l'ancien Japon

### Biographies

732. Charlemagne
719. Marco Polo
709. Jeanne d'Arc
739. Christophe Colomb
755. Léonard de Vinci
768. Molière
758. Victor Hugo
757. Pasteur Bataille contre les microbes
717. Marie Curie

### Astronomie

781. Apprendre à observer le ciel
718. Un Soleil et neuf planètes
759. La vie des étoiles
763. Les comètes
745. A la recherche des extraterrestres

## Découverte de la Nature



## Sciences et techniques



## Monde d'aujourd'hui



Aubin Imprimeur Ligugé-Poitiers
Achevé d'imprimer en avril 1989
N° d'éditeur A 47425 / N° d'impression P 31347
Dépôt légal, avril 1989
Imprimé en France

ISBN 2.09.204785.X

Loi du 16 juillet 1949 sur les publications destinées à la jeunesse